France OLIVIER

Les Pays de Monts

UN AUTRE REGARD

L'ETRAVE

Dans le cadre des expositions estivales, au mois d'août 2000, le service culturel de la mairie a proposé une exposition de photographies de France Olivier intitulée « Paysages et gens des Pays de Monts ». Cent photos, essentiellement noir et blanc prises des années 60 aux années 90 retracèrent une partie de l'important travail photographique réalisé. Devant la qualité, la valeur artistique, affective et documentaire de cette exposition, le photo club et le service culturel ont émis le souhait de voir l'édition d'un catalogue. Je suis heureux, au nom du conseil municipal, des membres du photo club, et de sa famille de vous le présenter ; c'est un moyen de prolonger l'exposition, de l'ouvrir à ceux qui n'ont pu la visiter et d'immortaliser l'œuvre du photographe. France Olivier a participé à la première réunion pour l'élaboration de ce catalogue, malheureusement, il nous a quitté depuis, c'est donc avec une pensée particulière à son égard et envers sa famille que je vous le présente.

Ce document peut être considéré comme le symbole de ce que fut son action pendant 25 ans à Notre-Dame-de-Monts : un engagement total pour la photographie, dans ses créations, dans sa participation à la vie du photo club, dans la transmission de ses savoirs et savoir-faire. Il a été fondateur du photo club de Notre-Dame-de-Monts, il en a été le président et un membre toujours très actif.

Il aimait confronter ses photos à celles des autres photographes. Ainsi, il a participé à 700 expositions et il a été primé 80 fois. C'est toujours avec modestie qu'il évoquait les prix parfois importants qu'il gagnait. Il était heureux de parler de sa « *photo qui a fait le tour du monde* », photo prise dans le moulin familial qui représente un bouquet de chatons devant une fenêtre et qui a été exposée à New York, au Japon et en Australie ! Par ce catalogue, la commune est heureuse de faire connaître l'œuvre de France Olivier bien au delà d'un cercle de photographes, de la pérenniser, de l'immortaliser.

Jean MARTINET, Maire de Notre-Dame-de-Monts

C'est en 1938, aussitôt après son mariage que France Olivier est venu à Notre-Dame-de-Monts, dans le moulin familial, visible dans ce catalogue. Son épouse, ancienne élève des Beaux-Arts était sensible à la beauté des paysages vendéens ; c'est pour lui faire plaisir qu'il a commencé à les fixer sur la pellicule et c'est peut-être ainsi qu'une passion est née. Sa vie était partagée entre Tours où il avait son activité professionnelle (il travaillait à la SNCF, en tant que cadre à la signalisation) et Notre-Dame-de-Monts où il venait souvent, dans la maison attenante au moulin familial, chemin du Grand Moulin. Son activité photographique était également partagée entre Tours où il présidait le Photo-Club SNCF et Notre-Dame-de-Monts. Lorsqu'il a pris sa retraite il s'est retiré définitivement dans notre commune.

Nous nous sommes rencontrés à la fin des années 1970, il a proposé la création d'un club photo, club dans lequel il s'est toujours impliqué, tant au niveau des prises de vues qu'au niveau des développements et des tirages en laboratoire. Non seulement il avait du talent, mais en plus, il était méticuleux et travaillait avec la précision que nécessite une production photographique de haut niveau. Cela ne l'empêchait pas d'être toujours disponible pour donner des conseils et faire partager ses connaissances. Il alliait la passion du photographe amateur et la compétence du photographe professionnel.

Photographier veut dire « écrire avec la lumière » : cette lumière, il savait la maîtriser aussi bien au moment de la prise de vue qu'au moment du travail en laboratoire. Lorsque nous sortions, avec les membres du club, pour une séance de photos dans la nature, il était très attentif aux conditions de lumière. Ses moments de prédilection étaient le printemps et l'automne ; il appréciait particulièrement la lumière du matin ou du soir qui lui donnait beaucoup de contraste. En laboratoire, c'est en véritable artiste qu'il manipulait la lumière sous l'agrandisseur, pour masquer une surface ou au contraire la surexposer, suivant le résultat désiré. C'est le noir et blanc qu'il préférait, « question d'esthétique » disait-il. Il a aussi pratiqué la couleur sur papier et la diapositive. Au delà d'un passe-temps, d'une distraction favorite, il faut parler d'une expression artistique. Henri Cartier-Bresson, photographe contemporain disait : « *L'appareil photographique est pour moi un carnet de croquis, l'instrument de l'intuition et de la spontanéité, le maître de l'instant qui, en termes visuels, questionne et décide à la fois. Pour signifier le monde, il faut se sentir impliqué dans ce que l'on découpe à travers le viseur. Cette attitude exige de la concentration, de la sensibilité, un sens de la géométrie.* » Je retrouve dans cette citation, la philosophie implicite de France Olivier.

Il a fait partie de ceux qui ont initié les expositions organisées par le club : les premières étaient assurées par les productions des photographes locaux. Les expositions sont ensuite devenues « salon national d'art photographique » avec, depuis une dizaine d'années une participation régulière de photographes amateurs et de clubs de toute la France.

Je vous souhaite une bonne lecture de ce catalogue : retrouvez ou découvrez ces paysages des Pays de Monts, paysages passés par l'œil du photographe qui les interprète et les montre à sa manière. Effets de lumière sur le sable de la plage, effets du vent sur la dune, graphisme comparé des cabines de bain en bois et des immeubles modernes, bourrine disparue ou que vous retrouverez au détour d'un chemin, scènes de vie actuelles ou passées... de multiples niveaux de lecture vous sont offerts. La photo n'a-t-elle pas pour vocation de fixer pour toujours des moments qui deviendront des souvenirs ? Chacun retrouvera un moment, un personnage, une scène qui lui rappelleront quelque chose. Ces images ne sont pas seulement tournées vers le passé, elles ont aussi permis un travail auprès des scolaires de la commune qui ont visité l'exposition et qui ont reçu France Olivier dans leur école. Celui-ci a peut-être par l'explication de ses photos et par son discours fait naître des vocations.

Je conclurai mon propos par une seconde citation d'Henri Cartier-Bresson : « *Photographier, c'est mettre sur la même ligne de mire la tête, l'œil et le cœur. C'est une façon de vivre.* »

Michel MARTIN, adjoint aux affaires culturelles

Monsieur France Olivier lors du vernissage de l'exposition qui lui a été consacré au mois d'août 2000 à Notre-Dame-de-Monts, accompagné de Marcos SAMPAIO.

LE PAYS

DES MARAÎCHINS

En hiver quand l'eau abonde

LE MARAIS GELÉ

BARRIÈRES TYPIQUES DU MARAIS

GESTES AGRICOLES

ELEVAGES

LES BOURRINES...

... HABITAT TYPIQUE

DU MARAIS

Foyer typique
d'un intérieur de bourrine

PAYS DU VENT... PAYS DES MOULINS

Page de droite : moulin de Chateauneuf
et moulin près de Saint Urbain

A la porte

LE MOULIN FAMILIAL...

...DIT « LE GRAND MOULIN »

*" La photo qui a fait
le tour du monde"*

*Vue sur la forêt
L'escalier rustique*

LES EFFETS DU VENT...

Les agglutinés de la sécheresse

A gauche : un accès à la mer

... SUR LA DUNE

FRONT DE MER...

... À SAINT-JEAN-DE-MONTS

SUR LA PLAGE

Départ de régate

RETOUR DE PÊCHE

Pêche au filet.
Vue prise de l'estacade
de Saint-Jean-de-Monts

PÊCHE À PIEDS...

... au carrelet en Baie de Bourgneuf

... à pieds devant le pont de Noirmoutier

LA MER ET LE VENT SCULPTENT LE SABLE

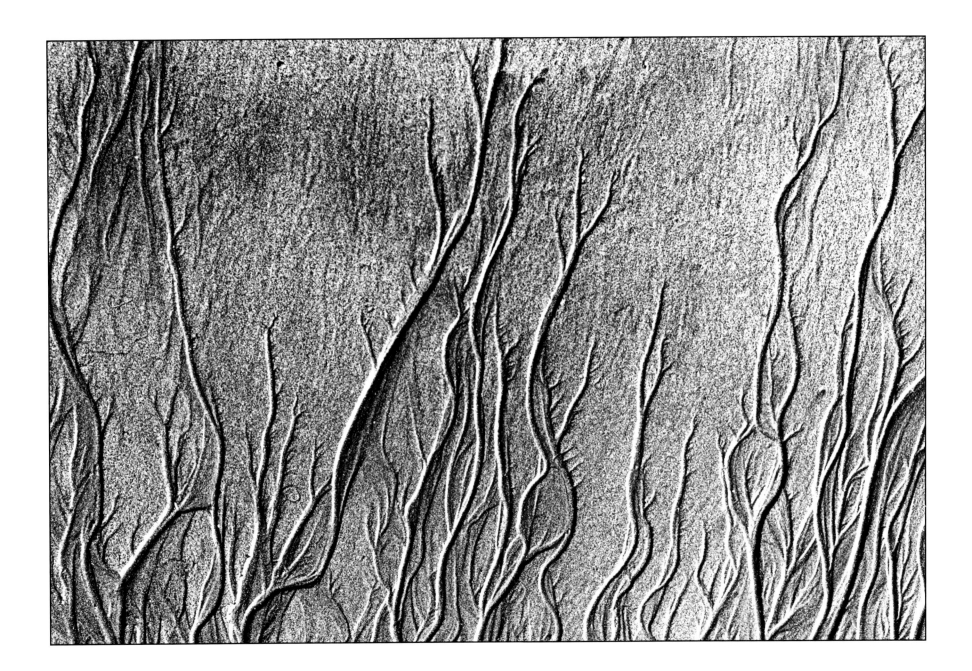

Les grandes roues appelées " diables "
(chariot permettant de remonter les bateaux)

Un paludier

LES MARAIS SALANTS

LES OUVRIERS DU CIEL

Le clocher de Notre-Dame-de-Monts

Le moulin familial

MARAÎCHINE À L'OUVRAGE

A l'ombre de la grange

LA FÊTE À NOTRE-DAME

La danse Maraîchine

CONCOURS DE PÊCHE
AUX PILLENIÈRES

Une curieuse position

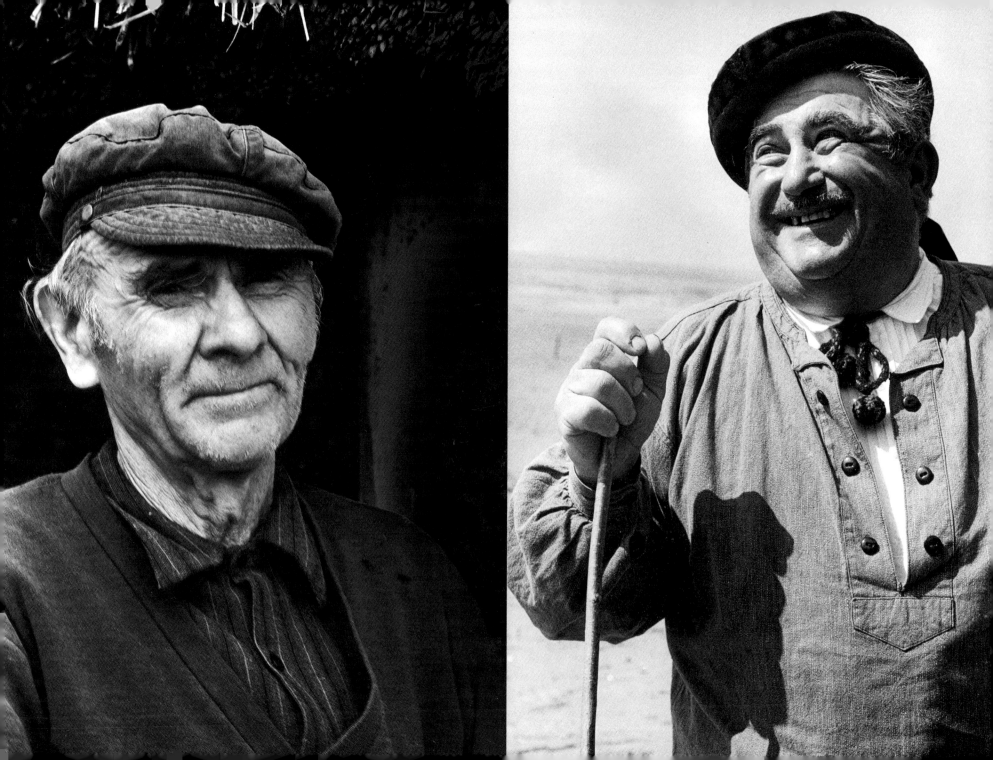

VISAGES DE MARAÎCHINS

Le maquignon

Dos au feu

LE MARÉCHAL-FERRANT DANS LE BOURG DE NOTRE-DAME

Au marché de Saint-Jean

TRAITS D'HUMOUR...

La méduse-poupée

Grominet et kiki au séchage

Les jumeaux

Remerciements :

Madame Olivier, Monsieur et Madame Thang, Monsieur et Madame Dumas, Emmanuelle, Nadège, Cyril, Cléo.
Les membres du photo-club, notamment Claude Arnaud pour sa photo en préface.

Ouvrage édité en collaboration avec le conseil municipal de Notre-Dame-de-Monts suite à l'exposition organisée par les services culturels en août 2000.

ÉDITIONS DE L'ÉTRAVE
BP 38 - 85230 Beauvoir-sur-Mer
Tél : 02 51 49 29 00
Fax : 02 51 93 84 38
e-mail : letrave@free.fr

Achevé d'imprimer sur les presses d'Offset 5
85150 La Mothe Achard
Tel : 02 51 94 79 14

Dépôt Légal : 1er trimestre 2002
ISBN 2 909 599 55 8